CW00818804

COLLECTION
FICHEBOOK PHILOSOPHIE

JEAN-JACQUES ROUSSEAU

Du contrat social

Livre 1

Fiche de lecture

Les Éditions du Cénacle

© *Les Éditions du Cénacle, 2018.*

ISBN 978-2-36788-932-0
Dépôt légal : Octobre 2018

SOMMAIRE

BIOGRAPHIE

JEAN-JACQUES ROUSSEAU

Né le 28 juin 1712 à Genève, dans une famille d'artisans, Jean-Jacques Rousseau est le fils d'Isaac Rousseau et de Suzanne Bernard. Le 7 juillet, il perd sa mère. Ce premier malheur qui résulte de sa naissance, fera de l'adolescent, un être obsédé par l'imminence de la mort, mais aussi par l'amour des commencements. Il est élevé par son père puis, quelques années plus tard, par sa tante Suzanne Rousseau.

Adolescent solitaire et rêveur, il lit Plutarque, des historiens, des moralistes et les romans laissés par sa mère. En octobre 1722, Rousseau est mis en pension chez le pasteur Lambercier. Trois ans après, il signe un contrat d'apprentissage de cinq ans chez un maître-graveur nommé Abel Du Commun. Durant cette période, Rousseau apprend le métier. La lecture et les promenades dans la campagne environnante semblent être ses seuls divertissements. Le 14 mars 1728, Rousseau rentre de promenade. Les portes de la ville sont fermées. Signe du destin ? Il décide de quitter son patron et part pour Annecy. Le 21 mars, il se rend chez Madame de Warens pour la première fois. Celle qu'il appellera « maman », lui donnera, dans les années qui suivent, une culture philosophique solide, et fera de lui son amant. Le 24 mars, Rousseau part à pied pour Turin. Errance et vagabondage sur les routes, Rousseau, une fois arrivé, se convertit au catholicisme (le 21 avril) et perd ainsi son droit de citoyenneté. Entre 1728 et 1738, Rousseau exerce de nombreuses professions : secrétaire, laquais, interprète, professeur de musique, etc. Il travaille dans trois pays, la France, l'Italie, et la Suisse ; il bénéficie du soutien et de la protection de Madame de Warens.

Durant cette période, Rousseau revient chez sa protectrice (juin 1729) et passe quelques temps au séminaire. En 1731, il s'installe chez elle à Chambéry. En 1735, un premier séjour aux Charmettes amène Rousseau à goûter les joies du bonheur et de l'instruction auprès de Madame de Warens. Son voisin, Monsieur de Conzié, lui a ouvert les portes de sa bibliothèque. Oisif, Rousseau lit, traduit, et imagine un nouveau système de notation musicale. En 1740, il exerce comme précepteur chez Monsieur de Mably. Deux ans plus tard, le 22 août 1742, Rousseau est introduit par Réaumur devant l'Académie des Sciences. Il expose son *Projet concernant de nouveaux signes pour la musique*. Sa *Dissertation sur la musique moderne* paraît en Janvier 1743. Il étudie la chimie chez Rouelle. En juillet, il part à Venise et sera un an durant le secrétaire de l'ambassadeur de France. A partir de 1745, il fréquente le cercle des futurs encyclopédistes (Diderot, Condillac). Il entame une liaison avec Thérèse Le Vasseur. En 1747, Rousseau entreprend la rédaction des *Institutions chymiques*. Son père, Isaac, décède au mois de mai.

En 1749, c'est l'effervescence intellectuelle ! Rousseau participe au projet de *L'Encyclopédie* de Diderot-D'Alembert, et rédige des articles sur la musique. Il entreprend la rédaction d'un traité sur *Les Institutions politiques*. Diderot l'invite à concourir pour le prix de morale de l'Académie de Dijon. Rousseau rédige alors son *Discours sur les sciences et les arts*. La même année enfin, il se met en ménage avec Thérèse Le Vasseur. Le 9 juillet 1750, l'Académie de Dijon consacre Rousseau ; il obtient le prix pour son *Discours sur les sciences et les arts*, mais cette consécration est critiquée et la polémique lui cède vite la place. Commence alors le « funeste tournant ». Parmi les Encyclopédistes, on ne comprend pas que ce collaborateur de l'ouvrage ait pu tenir une telle position par rapport aux sciences et aux arts. On croit à une feinte de l'auteur. Diderot intervient, apaise les esprits trop critiques, et reste prévenant à l'égard de Rousseau, même s'il regarde dorénavant avec attention ce qu'il écrit. Très vite Rousseau commence son second discours et précise ses idées.

Débutée en 1753, la rédaction de l'ouvrage prendra deux ans.

En 1754, Rousseau rentre à Genève et réintègre l'Eglise calviniste. Il peut communier et recouvre sa citoyenneté. Il passe l'été au bord du lac Léman en travaillant à son traité des *Institutions politiques*. Le second discours est imprimé en 1755, sous le titre *Discours sur l'origine de l'inégalité parmi les hommes*. Ce premier opus philosophique pose les bases théoriques du changement opéré dans l'âme de son auteur. Rousseau, dès le premier discours, dresse le bilan de son existence et se considère avec horreur. Il entreprend la réforme de sa pensée afin de retrouver en lui-même ce qui est naturel, et qui n'a pas encore été souillé par la société. En 1756, Rousseau se retire à l'Ermitage chez Madame d'Epinay. Ce retour à la campagne l'amène à préciser ses thèses. Très vite, il se brouille avec son hôtesse et rompt avec les Encyclopédistes.

Rousseau s'installe en 1757 à Montmorency chez le comte du Luxembourg. Durant cette retraite, Rousseau va composer ses trois grandes œuvres : *La Nouvelle Héloïse*, l'*Emile* et *Le Contrat social*. *La Nouvelle Héloïse* est publiée en 1761 et rencontre le succès. En décembre 1761, l'*Emile* est imprimé à Amsterdam. Lorsqu'il est mis en vente en mai 1762, il est rapidement saisi par la police. L'ouvrage est condamné par le parlement de Paris à cause de la célèbre *Profession de foi du vicaire savoyard*. Rousseau doit quitter Paris. Quant au *Contrat social*, lui aussi est imprimé à Amsterdam (avril 1762), il paraît en même temps que l'*Emile* et connaît un sort semblable au sien. Les deux ouvrages sont brûlés à Genève le 19 juin 1762. Rousseau est pourchassé. Il fuit et trouve refuge à Môtiers, une principauté de Neuchâtel. Il entreprend la rédaction de ses *Confessions* en 1764. Démasqué par les habitants de Môtiers alors qu'il herborisait, Rousseau part pour l'Angleterre (1766).

Invité par le philosophe David Hume, Rousseau est reçu à

Londres avec tous les honneurs. Les relations entre les deux hommes sont d'abord excellentes. Hume estime Rousseau et l'œuvre malgré quelques réserves. Rousseau détendu devient méfiant au fil des mois ; il soupçonne Hume de faire partie de l'obscur complot qui se trame contre lui. Un matin, Rousseau prend la fuite et met les voiles pour la France. Le séjour en Angleterre aura duré un an à peine. De retour en France, Rousseau épouse enfin Thérèse Le Vasseur et poursuit une vie d'errance. En 1770, il vit à Paris et termine la rédaction de ses *Confessions*. A la demande du comte de Wielhorsky, il rédige des *Considérations sur le gouvernement de Pologne*. Achevé en 1771, l'ouvrage ne sera publié qu'en 1782. Rousseau entreprend un ouvrage où il se fait juge de lui-même ; ce sera les *Dialogues ou Rousseau juge de Jean-Jacques*.

Nostalgique d'un bonheur passé, Rousseau débute la rédaction des *Rêveries du promeneur solitaire* en 1776, mais l'ouvrage restera inachevé. Rousseau meurt le 2 juillet 1778 à Ermenonville à l'âge de 66 ans. Les restes du corps de Rousseau sont transférés au Panthéon en octobre 1794.

PRÉSENTATION DU LIVRE DU CONTRAT SOCIAL

Si l'*Emile* a pour objet l'éducation, *Le Contrat social*, quant à lui, est le traité politique de Jean-Jacques Rousseau. Les deux ouvrages paraissent la même année et subissent rapidement le même sort. Saisis par la police, condamnés par le parlement de Paris, ils sont brûlés à Genève, tandis que leur auteur est obligé de s'enfuir. Comment rendre compte des réactions suscitées par ses deux ouvrages ? S'il est vrai que leurs sujets (éducation pour l'un, politique pour l'autre) peuvent être source de polémique, ils ne semblent pas justifier à priori l'hostilité rencontrée. Cependant, une lecture attentive laisse apparaître des thèses particulièrement originales pour l'époque qui dénonceront les injustices sociales et la corruption à l'œuvre au sein des institutions politiques.

Le traité intitulé *Du Contrat social* et sous-titré : « Principes du droit politique » est le résidu d'un ouvrage beaucoup plus ambitieux, entrepris par l'auteur au printemps de 1756 alors qu'il séjournait à Montmorency, et qui devait s'intituler *Institutions politiques*. Commencé en 1749, *Les Institutions politiques* ont nécessité de nombreuses lectures (notamment, les classiques de la philosophie politique : Platon, Aristote, Machiavel, Spinoza, Montesquieu, mais également deux juristes de droit naturel : Grotius et Pufendorf) et un travail préparatoire assez conséquent. Néanmoins, en 1759, l'auteur, estimant que son ouvrage demanderait encore de nombreuses années de labeur, décide de l'interrompre. Il conserve la quintessence de son ouvrage et brûle tout le reste. Malgré cela, il lui faut encore deux ans pour donner à cet ensemble disparate sa forme actuelle.

Composé de quatre livres portant sur les principes du droit politique, *Le Contrat social* expose successivement les principes qui fonderont la légitimité de la société (livre I), la souveraineté du peuple (livre II), les différentes formes de gouvernement (livre III), enfin la conservation d'un Etat (livre IV).

Un lecteur des deux *Discours* de Rousseau ne peut qu'être

surpris de l'intérêt soudain que la société semble exercer sur l'esprit de l'auteur. En effet, vivement critiquée, puisqu'elle détruit l'innocence originelle de l'homme dans son rapport à la nature d'une part, et produit des hommes égoïstes et intéressés d'autre part, la société a souvent été malmenée par la pensée de l'auteur. Néanmoins, il semble que dans *Le Contrat social*, Rousseau envisage les fondements d'une société qui puisse répondre à cette finalité : « Trouver une forme d'association qui défende et protège de toute la force commune la personne et les biens de chaque associé, et par laquelle chacun, s'unissant à tous, n'obéisse pourtant qu'à lui-même, et reste aussi libre qu'auparavant. » C'est là, tout le problème et l'enjeu du livre I.

En posant les grands principes qui forment *Le Contrat social*, l'importance du livre I n'en sera que plus déterminante pour comprendre les suivants.

RÉSUMÉ DE L'OUVRAGE

Le livre I du *Contrat social* commence par un préambule qui présente deux choses : tout d'abord, l'objet de cet écrit, ensuite ce qui le justifie. Il est important de le prendre en compte car il pose clairement le problème de ce premier livre.

Le chapitre I a pour titre « Sujet de ce premier livre ». Rousseau donne à son lecteur les données du problème qu'il pose, c'est-à-dire le contenu et la piste qu'il va suivre pour résoudre le problème posé en préambule. C'est dans ce chapitre que la légitimité de la liberté va apparaître comme une condition sine qua non pour fonder la société.

Le chapitre II a pour titre « Des premières sociétés ». En cherchant l'origine des inégalités entre les hommes (soumission/domination), Rousseau entreprend la vérification de son hypothèse en cherchant si, à l'état naturel, de tels rapports sont possibles entre les hommes. Il examinera trois formes naturelles : la famille, la force comme différence de nature, et enfin l'héritage divin. Ces trois formes naturelles étant prises comme les fondements successifs permettant de justifier les inégalités entre les hommes, Rousseau va les réfuter à tour de rôle.

Le chapitre III a pour titre « Du droit du plus fort ». Ce chapitre est important dans la mesure où Rousseau va montrer que la force ne fait pas le droit, et surtout il va mettre en évidence les diverses conséquences qui doivent être reconnues par celui qui admet l'existence d'un tel droit. Distinguant la force et le droit, l'auteur montrera l'apport du droit pour la société.

Le chapitre suivant a pour titre « De l'esclavage ». Si ce thème a déjà été abordé par de nombreux auteurs, Rousseau n'entreprend pas ici d'ajouter sa propre pierre à l'édifice. Il faut remarquer que l'existence d'un esclavage par nature a déjà été réfutée au chapitre II. Rousseau va montrer qu'un esclavage reposant sur une convention n'est pas envisageable. En relisant Grotius et en reprenant l'argument classique de l'échange de la liberté contre la vie, Rousseau en vient à développer une longue analyse sur la guerre et le droit de guerre. Ce qui lui permet de conclure à l'impossibilité du droit d'esclavage.

Le chapitre V porte un titre beaucoup plus long : « Qu'il faut toujours remonter à une première convention ». Rousseau semble vouloir insister sur la nécessité de ramener tout à une convention originelle. Mais qu'en est-il réellement ? Les chapitres précédents ont montré que tout ordre politique doit reposer nécessairement sur une convention. En reprenant l'idée de lien social, Rousseau va reconsidérer et distinguer les notions d'agrégation et d'association, d'acte civil et d'obligation, afin de montrer ce qui le rend possible. La thèse qui est mise en avant dans ce chapitre, c'est que la volonté libre et commune est la condition sine qua non de l'existence d'un peuple. La délibération apparaît donc comme étant l'acte fondateur « par lequel un peuple est un peuple ».

« Du pacte social » est le titre du chapitre VI. Ce chapitre capital reprend et précise le mouvement de tout le livre. Il rappelle les éléments successifs apportés par les chapitres précédents. A savoir les origines du problème et sa formulation au § 4. La solution envisagée (§5 et suivant) est formulée au § 9. Quant au § 10, il en tire les conséquences directes. *Le Contrat social* apparaît bien comme une obligation.

« Du Souverain » est le titre attribué au chapitre VII. Le souverain, dont il est question ici, n'est rien d'autre que la volonté générale du peuple. Le pacte social en tant que convention pose un certain nombre d'obligation. La première partie de ce chapitre porte sur les obligations du souverain (§2-5). La seconde partie traite des obligations des sujets envers le souverain (§ 6-8)

Le chapitre qui suit a pour titre « De l'état civil ». Ce

chapitre reprend le dualisme entre état de nature et état civil. Néanmoins, il semblerait que la pensée de Rousseau ait évoluée par rapport à la position qu'il tenait dans le second *Discours*. Les précisions qu'il apporte, dans ce chapitre, permettent de préciser et de nuancer la teneur de sa pensée.

Le neuvième et dernier chapitre du livre I porte le titre « Du domaine réel ». Il s'agit en fait de traiter la question de la terre. Rousseau entreprendra des distinctions conceptuelles entre propriété et possession, mais également entre ce qui est public et ce qui est privé. Le droit du premier occupant, et la nécessité de lui imposer des limites, sera également primordial dans ce chapitre, puisqu'il permettra à l'auteur d'introduire la notion d'égalité.

LES RAISONS
DU SUCCÈS

Après l'*Avertissement* qui rappelle la genèse de ce livre, résidu « d'un ouvrage plus étendu, entrepris autrefois sans avoir consulté mes forces, et abandonné depuis longtemps », Rousseau publie ce qui lui « a paru le moins indigne d'être offert au public ». Ecrit durant sa retraite à Montmorency, c'est-à-dire à l'écart de la société corruptrice, Rousseau ne peut s'empêcher d'écrire ses pensées politiques et de les offrir au public. Cela, sans compter les conséquences qui vont à nouveau bouleverser son existence.

Le préambule qui ouvre le livre I du *Contrat social* permet à son auteur de poser d'abord l'objet de son travail, et ensuite, ce qui justifie la nécessité de sa démarche. L'objet de ce livre est défini dans le §1 du préambule. Rousseau inscrit sa recherche « dans l'ordre civil », c'est-à-dire dans les sociétés humaines instituées. Le terrain choisi, l'auteur pose alors l'objet de sa recherche : « quelque règle d'administration légitime et sûre », autrement dit, un instrument précis qui va permettre de mesurer, donc d'évaluer les formes diverses et variées de gouvernement, ainsi que leur manière d'exercer leur pouvoir. Dès lors, on comprend qu'une telle règle doit être « légitime et sûre ». En effet, elle doit être conforme à une loi morale, c'est-à-dire conforme à ce qui est juste dans l'absolu. Pour la fonder, Rousseau entend partir du réel « en prenant les hommes tels qu'ils sont, et les lois telles qu'elles peuvent être. ». Il y a ici une volonté farouche de partir de l'immanence effective des hommes et des lois. Rousseau inscrit sa démarche dans le réel et non pas dans l'utopie.

Dans les lignes qui suivent, Rousseau propose de suivre une méthode reposant sur l'alliance de deux choses : « Ce que le droit permet avec ce que l'intérêt prescrit. » Il s'agit de composer une alliance entre « ce que le droit permet », c'est-à-dire ce que le droit m'autorise, ce que je peux faire (c'est le domaine du légal), et « ce que l'intérêt prescrit », c'est-à-dire ce qui motive mes comportements sociaux, ce que je dois faire (c'est le domaine du légitime). Pourquoi former une telle alliance ? Le but de cette alliance est affirmé par l'auteur à la fin du §1, lorsqu'il écrit « afin que la justice et l'utilité ne se trouvent point divisées ». Cela signifie qu'il ne faut pas qu'il y ait d'antagonisme entre justice et utilité, mais qu'au contraire, elles s'unissent pour fonder réellement un régime politique viable. C'est la condition sine qua non pour penser la légitimité de l'ordre civil. Il faut maintenant que Rousseau questionne cette légitimité.

Rousseau débute son second paragraphe en reconnaissant ne pas avoir « prouver l'importance de son sujet » ; en effet, qu'est-ce qui permet à Rousseau d'écrire sur la politique alors qu'il n'est ni prince, ni législateur ? Il justifie son écrit par le fait qu'il n'est ni prince ni législateur, ce qui lui permet d'écrire faute de ne pouvoir agir. Or, c'est une pointe adressée aux politiques qui se contentent bien souvent de dire ce qu'il faut faire (dans un futur indéterminé) au lieu de le faire (ici et maintenant). Rousseau est partisan de l'action immanente et effective en politique, et non pas de l'action rêvée ou utopique. Voilà pourquoi, il peut écrire catégoriquement à la fin du § 2 : « Je le ferais, ou je me tairais. »

Un second argument, dans le troisième paragraphe, vient justifier l'écrit de Rousseau. C'est le fait d'être un citoyen. Cette thématique est importante ; en effet, le citoyen est un « membre du souverain », c'est-à-dire qu'il est membre de la société dans laquelle il vit et surtout il participe à l'autorité souveraine. Certes, ce pouvoir est limité et bien dérisoire, Rousseau ne le nie pas (« quelque faible influence que puisse avoir ma voix dans les affaires publiques »). Néanmoins, dans une république, c'est le peuple qui est souverain. De ce fait, tout citoyen, par son vote, concourt à l'expression de la volonté générale puisqu'il est membre de ce souverain.

Voilà pourquoi, Rousseau peut écrire : « Le droit d'y voter suffit pour m'imposer le devoir de m'en instruire. » Citoyen d'un Etat libre, je possède le droit de vote et j'ai le devoir de m'intéresser aux affaires politiques de cet Etat puisqu'elles me concernent. Dès lors, le bonheur de Rousseau, lorsqu'il étudie d'autres gouvernements, lui donne des raisons d'aimer davantage celui de son pays. En effet, étant né à Genève, Rousseau est citoyen de cette république où il a la possibilité de participer à la souveraineté.

Rousseau, en introduisant le thème du citoyen au § 3, invite son lecteur à s'intéresser au domaine du politique (c'est un devoir puisque la politique le concerne directement ; il y va de son intérêt !) qui instruit le droit, garant de son intérêt personnel, c'est-à-dire de sa liberté. Dès lors, nous comprenons que les hommes ont tout intérêt à lire et relire *Le Contrat social* de l'auteur, puisqu'à travers le problème posé, c'est toute la question de la condition humaine et de la liberté qui est en jeu. Il y a donc nécessité de lire avec attention les thèses rousseauistes.

LES THÈMES
PRINCIPAUX

Chapitre I- Sujet de ce premier livre

Le chapitre débute par une phrase concise qui frappe d'emblée les esprits : « L'homme est né libre, et partout il est dans les fers. » Cette première phrase énonce le problème sous la forme d'une tension entre liberté et servitude. La thèse affirmée par Rousseau est la suivante : l'homme est libre naturellement. La liberté est innée à l'homme par nature. Cela présuppose de fait qu'aucun homme n'est naturellement le maître d'un autre ; de même, qu'il n'y a pas d'homme qui soit soumis à un autre par nature. Néanmoins, une fois la thèse affirmée, un constat s'impose : « Et partout il est dans les fers. » Cela signifie que l'homme a perdu, semble-t-il, cette liberté naturelle ; c'est comme s'il en été privé. Comment expliquer que cette perte de liberté soit le lot commun de tous les hommes ? En effet, cette privation touche même les hommes qui se croient dominants et supérieurs aux autres. Face à ce problème, Rousseau ne cherche pas à remonter à une cause historique qui expliquerait cette perte, ce changement qui a trahi la nature originelle de l'homme. Au contraire, ce qui va l'intéresser c'est d'essayer de comprendre : « Qu'est-ce qui peut le rendre légitime ? » Cette question de droit cherche à savoir quelles sont les raisons qui peuvent justifier ce changement ? Il ne s'agit pas de chercher ce qui peut légitimer la soumission des hommes, mais plutôt de comprendre comment l'ordre civil peut être conforme à la liberté naturelle des hommes ? C'est-à-dire au droit naturel, inné de tous les hommes. Malgré cette difficulté, Rousseau écrit : « Je crois pouvoir résoudre cette question. »

Au second paragraphe, Rousseau, s'il ne considérait que la force et l'effet qui en dérive dirait : « Tant qu'un peuple est contraint d'obéir et qu'il obéit, il fait bien ; sitôt qu'il peut secouer le joug, et qu'il le secoue, il fait encore mieux : car recouvrant sa liberté par le même droit qui la lui ravie, ou il est fondé à la reprendre, ou on ne l'était point à la lui ôter. » Cette prise de parole relative à l'usage de la force permet à l'auteur de distinguer la contrainte et l'obéissance. La contrainte repose sur la force et, en ce sens, elle n'est pas une obéissance puisque cette dernière repose sur le devoir, c'est-à-dire sur une convention entre deux partis. Voilà pourquoi, un peuple contraint, peut faire usage de la force et secouer le joug qui aliénait sa liberté. Le peuple use alors du même droit (ici, il s'agit de la force) que celui qui le contraignait. Certes, pour Rousseau, le peuple est garant de sa propre liberté de droit qui est définie comme « un droit sacré qui sert de base à tous les autres ». Mais pour qu'il y ait une obéissance obligatoire, c'est-à-dire devoir, il faut nécessairement que cette liberté de droit passe par des conventions.

En essayant de répondre à la question posée, Rousseau introduit la notion de convention qui va jouer un rôle important dans les chapitres suivants puisque la convention, qui est un libre accord entre des volontés, va servir à fonder l'ordre social.

Chapitre II- Des premières sociétés

Ce chapitre n'a pas pour but d'exposer l'origine historique de la société, Rousseau l'a déjà fait dans la seconde partie du *Discours sur l'origine et les fondements de l'inégalité parmi les hommes*. Ce que Rousseau entreprend ici, c'est de chercher à vérifier la valeur de l'hypothèse émise précédemment, à savoir : existe-t-il naturellement une inégalité des hommes entre eux ? Si cette hypothèse est vérifiée alors l'ordre social serait une forme naturelle voulue par la nature. Pour vérifier cette hypothèse, Rousseau examine et discrédite trois thèses qui ont été soutenues pour la défendre.

La première thèse affirme que la famille serait à l'origine de la société. En apparence, rien ne semble contester cette thèse. Par son ancienneté et sa forme naturelle, la famille semble être à l'origine de la société. Le lien social n'étant alors qu'une amplification du lien familial. Néanmoins, si Rousseau semble accepter cette thèse, c'est pour mieux la discréditer ensuite. En effet, dès la seconde phrase, la famille apparaît comme une société qui est limitée dans le temps. La dépendance qui soumet les enfants au père ne dure pas : « Sitôt que le besoin cesse, le lien naturel se dissout. » Cela signifie que, les enfants ne se soumettent à l'autorité paternelle, que durant le laps de temps où ils sont dans l'incapacité de pourvoir à leur conservation. Le besoin établit un lien nécessaire entre les enfants et les parents. Or, dès qu'ils peuvent subvenir à leur besoin, cette soumission se dissout et avec elle, cette première forme de société disparaît. « Les enfants, exempts de l'obéissance qu'ils devaient au père ; le père, exempt des soins qu'il devait aux enfants, rentrent tous également dans l'indépendance. » Une fois que le lien familial est dissout, les devoirs, qui existaient entre les différents membres, cessent ; chacun retrouve son indépendance, c'est-à-dire sa liberté naturelle. Et si Rousseau envisage, dans la dernière phrase du §1, l'exemple d'une famille où les membres voudraient rester unis, c'est pour montrer que la pérennité du lien familial n'est plus naturel (puisque chaque membre est indépendant), mais qu'elle repose, au contraire, sur un accord des volontés, c'est-à-dire une convention. Les conséquences qui en découlent sont les suivantes : d'une part, la famille « naturelle » n'est pas une vraie société puisqu'elle ne s'inscrit pas dans la durée. Par opposition, à la famille « sociale » qui repose sur une volonté générale de ses membres qui l'inscrit dans la durée. D'autre part, cette famille « sociale » montre que le lien social n'est pas naturel mais qu'il passe par la convention.

Le second paragraphe pose la thèse rousseauiste selon laquelle : « Cette liberté commune est une conséquence de la nature de l'homme. » Comme il l'a déjà affirmé au début du chapitre I lorsqu'il a écrit que l'homme est né libre, Rousseau montre que la liberté est un droit naturel de l'homme. Si la liberté est un droit, elle impose aussi des devoirs aux hommes : « Veiller à sa propre conservation. ». C'est un droit mais aussi un devoir que l'homme doit se prescrire à lui-même. Devenir « son propre maître », c'est-à-dire être libre, est le second droit, mais également le second devoir de l'homme. Pour Rousseau, si la nature de l'homme est la liberté, alors il se doit d'être autonome et indépendant.

Le troisième paragraphe montre que la famille est « si l'on veut » le modèle initial qui permet d'envisager la société. Ce premier modèle n'est qu'une image de la société ; en effet, « le chef est l'image du père, le peuple est l'image des enfants ». L'image de la famille sert de référant à la société, mais elle n'est qu'une image. Rousseau refuse de voir dans cette analogie, un fondement naturel de la société. Pour lui, la différence fondamentale qui existe entre la famille et la société repose sur l'usage de la convention. Rousseau, après avoir réfuté l'idée selon laquelle la famille serait à l'origine de la société civile, va examiner deux autres fondements qui justifieraient l'hypothèse initiale. Le premier serait l'existence d'une différence naturelle entre les hommes, le second serait l'héritage divin reçu par certains hommes. L'examen du second fondement possible qui justifie l'inégalité entre les hommes débute au § 4. Rousseau fait appel à Grotius qui, pour affirmer que tout pouvoir est établi contre ceux qui sont gouvernés, a utilisé le cas de l'esclavage. Pour Rousseau, en agissant ainsi, Grotius a raisonné en prenant « toujours le droit par le fait » ; c'est-à-dire que le droit de ceux qui gouvernent repose en fait sur la soumission naturelle des autres hommes. Or, pour Rousseau, il n'y a pas de meilleure méthode qui soit « plus favorable aux tyrans » ; en effet, s'il est vrai que par nature des hommes sont soumis à d'autres alors si je les gouverne cela signifie que, par nature, j'ai le droit de les soumettre à mon pouvoir. Comme Rousseau le remarque au § 5, si nous suivons le raisonnement de Grotius alors il en découle que seule une minorité d'hommes appartient pleinement au genre humain ; en effet, puisque les autres sont des soumis par nature, ils appartiennent davantage au troupeau de bétail. En ce sens, ils n'ont qu'une fonction utilitaire. Ici, Rousseau se réfère à Hobbes qui a soutenu, lui aussi, l'existence d'une inégalité naturelle entre les hommes. Les uns sont réduits à un troupeau de bétail, ce sont des hommes soumis et faibles par nature. Les autres, au contraire, constituent la catégorie des maîtres, des forts qui sont supérieurs aux autres par nature. Cette catégorie supérieure est celle qui fixe les droits en sa faveur. Elle soumet les faibles, les maltraite et les tient sous son joug à des fins purement utilitaires. Les faibles ne sont que des moyens.

En se référant à l'image du pâtre au § 6, Rousseau montre que la nature des chefs, des gouvernants est supérieure à celle du troupeau. Il fait appel à une nouvelle référence, celle de l'empereur Caligula qui pensait que « les rois étaient des dieux, ou que les peuples étaient des bêtes ». Rousseau multiplie ainsi les références (Grotius, Hobbes, Caligula, Aristote) afin de mieux se démarquer des auteurs anciens qui soutenaient tous l'existence d'une inégalité naturelle entre les hommes (§ 7). Rousseau n'admet pas cette thèse, et s'il feint de donner raison à Aristote (§ 8) c'est pour mieux critiquer la thèse affirmée par les Anciens. En effet, Aristote « prenait l'effet pour la cause », c'est-à-dire qu'il prenait l'existence d'esclaves pour la cause de l'esclavage et légitimer ainsi ce dernier. Ce que Rousseau va condamner ici c'est cette prétendue légitimité. Si un esclave « né dans l'esclavage, naît pour l'esclavage », c'est parce qu'il y consent volontairement. Rousseau introduit la volonté afin de montrer aux esclaves leur part de responsabilité. S'ils « perdent tout dans les fers, jusqu'au désir d'en sortir », s'ils « aiment leur servitude », c'est uniquement parce qu'ils consentent à être lâche. Cette lâcheté volontaire les rend responsables de leur condition. Rousseau reprend la thèse de La Boétie qui soutenait qu'il n'y a de domination que parce que les hommes renoncent à la liberté de leur volonté. En ce sens, il faut remarquer que l'esclavage, comme la domination, n'est pas par nature.

L'ironie du dernier paragraphe discrédite d'emblée la thèse affirmée qui soutient que le pouvoir des gouvernants s'expliquerait généalogiquement par leur descendance. En effet, ces derniers seraient directement issus de la lignée des anciens patriarches qui tenaient leur pouvoir de Dieu. Pour Rousseau, cette thèse ne tient pas. Son ironie vise à jeter l'opprobre sur toute théorie défendant l'idée d'une succession héréditaire du pouvoir légitime et d'une succession d'origine transcendante. L'examen des trois thèses, qui soutenaient l'existence d'une inégalité naturelle entre les hommes, a montré qu'aucune n'était en mesure de défendre cette inégalité.

Chapitre III - Du droit du plus fort

Après avoir discrédité l'existence d'une inégalité, qui serait d'origine naturelle, entre les hommes, Rousseau s'intéresse maintenant au fameux droit du plus fort. L'intérêt de l'auteur est de mettre en évidence les conséquences qui doivent être admises par quiconque reconnaît l'existence de ce fameux droit.

Le premier paragraphe introduit, dès le début, une relativité de la force. Si « Le plus fort n'est jamais assez fort pour être toujours le maître », c'est parce que la force ne s'inscrit pas dans la durée : avec le temps, elle va en diminuant. Cette idée s'explique par sa nature qui est d'origine physique. Le droit du plus fort n'a, de droit, qu'en apparence. En cherchant à imiter le droit, il montre la nécessité de fonder le droit réel sur des principes. Pourquoi ? Parce que « la force est une puissance physique », elle ne peut fonder un concept moral. Et si je cède à la force, c'est « un acte de nécessité, non de volonté » ; en effet, céder à la force se fait par contrainte, par la prudence parfois, mais non par volonté. En ce sens, céder à la force n'est en aucun cas un devoir, puisqu'il n'y a de devoir que par obéissance.

Le second paragraphe montre le caractère antinomique de ce droit du plus fort. La force étant liée à la physique, lui adjoindre le droit est une absurdité. Pour Rousseau, parler du droit du plus fort n'est qu'« un galimatias inexplicable », c'est-à-dire un discours incohérent en soi. La force ne fait pas le droit. Elle repose sur la contrainte et rend impossible la fondation du droit, qui lui se fonde sur l'obéissance volontaire. La force, parce qu'elle est de nature physique, n'est qu'éphémère. Un pouvoir qui reposerait uniquement sur la force serait d'emblée voué à disparaître. Dès lors, s'il faut obéir par contrainte (ou par force) alors cette obéissance n'en est pas une puisqu'il n'y a d'obéissance que lorsqu'il y a obligation volontaire. L'obligation repose sur un devoir d'être et n'est pas éphémère en soi. Le droit du plus fort est une absurdité car « il ne signifie rien du tout » puisqu'il n'y a pas de droit là où règne la force. Rousseau, dans le troisième paragraphe, tire les conséquences de ce qui précède. Obéir aux puissances, cela signifie obéir aux gouvernements, aux rois et autres puissances qui nous emprisonnent dans leurs fers. Céder à la force est inutile puisqu'elle nous contraint.

Et si « toute puissance vient de Dieu » alors « toute maladie en vient aussi » et, malgré tout, cela ne nous empêche pas d'appeler le médecin. L'utilisation de cette analogie permet à Rousseau d'affirmer que même s'il reconnaît la puissance de Dieu, rien ne l'empêche de s'y opposer. Du coup, si nous pouvons nous opposer à Dieu en luttant contre la maladie, en politique aussi, nous avons le pouvoir de lutter contre l'asservissement par la force. De ce fait « la force ne fait pas le droit » puisque la force contraint tandis que le droit oblige. Il n'y a donc obligation que de droit, et s'il y a obéissance c'est parce que nous le voulons bien. Autrement dit, il n'y a obéissance que volontaire.

C'est en posant cette obligation et cette obéissance que l'ordre civil pourra être pensé. Cette thèse sera analysée davantage au chapitre V. En attendant, la « question primitive revient toujours » et, avec elle, la nécessité de poursuivre la recherche entreprise.

Chapitre IV – De l'esclavage

Dans ce chapitre, Rousseau ne revient pas sur l'esclavage par nature (idée qui a été réfutée au chapitre II) mais il va aborder ici l'esclavage qui use d'une possible convention. Ce qu'il veut montrer c'est qu'une telle convention est impossible en soi.

Au premier paragraphe, Rousseau tire la conclusion des deux chapitres qui ont précédé : « Aucun homme n'a une autorité naturelle sur son semblable. » La force ayant été discréditée, seules les conventions peuvent fonder une autorité légitime. Il faut donc les examiner. Rousseau se réfère à nouveau à Grotius (§ 2). Dans une analogie, il met en rapport le particulier et le général, le particulier et le peuple. La soumission volontaire d'un particulier peut-elle être la même que celle d'un peuple ? Pour répondre à cette question, Rousseau analyse le terme d'aliéner. « Aliéner, c'est donner ou vendre », si un homme se soumet à un autre, il « ne se donne pas ; il se vend tout au moins pour sa subsistance ». Pour Rousseau, aucun homme ne peut se donner à un autre, puisque la liberté est inaliénable en soi, et s'il se vend, c'est contre quelque chose, autrement dit en échange de quelque chose qu'il ne possède pas. Mais « un peuple, pourquoi se vend t-il ? », il est peu probable que ce soit pour assurer sa subsistance puisque c'est lui-même qui, par son travail, assure sa subsistance et celle de ses gouvernants. Peut-être est-ce pour assurer sa « tranquillité civile » (§ 3)? L'argument est invalidé par Rousseau. Un peuple ne peut pas accepter de perdre sa liberté au nom de la sécurité que son chef peut lui offrir, pour l'auteur, tout ce qu'un peuple gagne dans un tel échange, c'est d'être privé de sa liberté. En effet, le chef ne peut être garant de notre tranquillité puisqu'il ne peut s'empêcher de guerroyer par ambition et en vue d'expansions territoriales. Et s'il faut concevoir l'aliénation de notre liberté comme un don (§ 4), c'est là « dire une chose absurde et inconcevable ». Pour l'auteur, un homme qui donnerait sa liberté ne pourrait être qu'un fou, puisqu'il donnerait quelque chose qui le constitue par nature. De là, imaginer que ce soit tout un peuple qui agirait de la sorte, c'est une pure folie ! « La folie ne fait pas le droit. »

Le paragraphe qui suit va montrer qu'une telle aliénation ne peut en aucun cas fonder un ordre politique. En effet, si un homme peut « s'aliéner lui-même, il ne peut aliéner ses enfants » parce qu'il ne possède pas leur liberté, c'est un bien inaliénable qui leur est propre. La liberté des enfants leur appartient puisqu'ils naissent libres. Un père ne peut nullement en disposer à sa guise. Rousseau pose ici une limite au droit paternel et pose, du même coup, les bases qui serviront à développer les droits des enfants. Certes, le père a le devoir de veiller à la conservation de ses enfants, mais il ne peut pas les priver de leur liberté, puisqu'ils sont nés libres en tant qu'hommes. Au point de vue politique, un peuple qui aliénerait sa liberté pour un gouvernement arbitraire devrait, à chaque génération, « l'admettre ou le rejeter » puisque chaque homme qui naît est libre, il ne peut être aliéné à ce gouvernement. Ce qui explique pourquoi, une telle aliénation ne peut fonder un ordre politique. « Renoncer à sa liberté, c'est renoncer à sa qualité d'homme, aux droits de l'humanité, même à ses devoirs. Il n'y a nul dédommagement pour quiconque renonce à tout. » A travers cette phrase, Rousseau montre que notre vie et notre liberté font ce que nous sommes. En ce sens, l'argument de Grotius est rejeté, car un homme qui accepterait de s'aliéner à un autre ne peut plus être considéré comme un homme, puisqu'il se prive de sa liberté et donc de sa vie. Ainsi, si je renonce à ma liberté, je perds tout car je renonce à ce que je suis, à ma nature, c'est-à-dire au fait d'être un homme libre.

Deux conséquences en découlent. La première étant que privé de liberté, nos actions perdent leur moralité, puisqu'elles ne peuvent pas nous être imputées. Nous devenons irresponsables puisque notre volonté est sous tutelle. Or, il n'y a de responsabilité et donc de moralité que pour un être libre. La seconde conséquence n'étant qu'une convention ne peut être envisagée qu'entre des hommes libres. Privé de sa liberté, un homme n'a pas de volonté propre, il obéit à une contrainte et non à une obligation qui est un devoir. Un ordre politique ne peut être fondé en privant les hommes de leur liberté. Le paragraphe précédent donne à Rousseau les fondements qui l'amèneront à postuler le fameux pacte social du chapitre VI. Il va s'attaquer à l'analyse de l'hypothèse selon laquelle, les hommes peuvent échanger leur liberté contre la vie. Pour analyser ce « prétendu droit d'esclavage », Rousseau se réfère à nouveau à une thèse de Grotius, commune également à d'autres penseurs. Cette thèse affirme qu'en état de guerre, le vainqueur a le droit de tuer le vaincu ou de lui laisser la vie sauve, en échange de sa liberté. Néanmoins, ce n'est qu'« un prétendu droit », ce qui signifie qu'en tant que tel, il n'existe pas. L'état de guerre ne justifie nullement ce prétendu droit. Rousseau rappelle que lorsque les hommes vivaient « dans leur primitive indépendance », ils ne pouvaient nullement constituer un état de paix ou un état de guerre car leur rapport n'était pas « assez constant », c'est-à-dire que ce rapport, trop éphémère, ne s'inscrit pas dans la durée. Or, la paix ou la guerre s'inscrivent toutes les deux dans une durée car elles nécessitent du temps et des moyens pour perdurer. Ici, nous retrouvons les propos tenus, dans le second *Discours*, sur l'état de nature qui est un état de bonheur et d'harmonie où les hommes se suffisent à eux-mêmes. Cet état est immuable et semble échapper à l'histoire. Par opposition, l'état social dénature l'homme, crée des inégalités, la servitude et le mal. Si « C'est le rapport des choses et non des hommes qui constitue la guerre », nous comprenons que la propriété est à l'origine des sociétés, et donc de la guerre, puisque qu'elle résulte « des relations réelles » aux choses. Voilà pourquoi, il ne peut y avoir de guerre d'homme à homme que ce soit dans l'état de nature ou dans l'état social. Rousseau ne nie pas ici l'existence de conflit au sein de la famille, entre amis, etc. Ces conflits existent mais ils ne constituent pas un état à part entière puisqu'ils ne durent pas. La guerre en revanche constitue un état dans lequel deux Etats différents s'opposent. C'est une relation d'Etat à Etat. Dès lors, il n'y a de guerre qu'entre Etats puisqu'il n'y a de propriété que dans une société ; elle seule est en mesure de garantir par le droit la propriété d'une chose. En temps de guerre, « les particuliers ne sont ennemis qu'accidentellement », puisqu'ils se retrouvent dans un camp plutôt que dans l'autre, uniquement parce qu'ils sont membres de cette patrie.

Rousseau va énoncer maintenant « les maximes établies de tous les temps et à la pratique constante de tous les peuples policés ». Ici, il s'agit de montrer que l'état de guerre obéit à des règles propres qu'il est dans l'obligation de respecter. La première règle vise à assurer la protection des personnes et des biens particuliers. Cette règle permet de poser le respect des particuliers comme un devoir pour tous les belligérants. Un prince qui enfreint cette règle serait semblable à un brigand. C'est un hors-la-loi qui sape les fondements même de son pouvoir. La seconde règle pose les conditions du permis de tuer. Quand un ennemi est armé, un combattant a le droit de le tuer. Mais, dès qu'il rend les armes, l'ennemi redevient un homme, un civil, et il n'est plus possible à un combattant d'exercer ce droit. Porter atteinte à sa vie devient dès lors un crime. La troisième règle instaure le devoir pour l'Etat victorieux de maintenir l'ordre civil dans le pays conquis, c'est-à-dire qu'il doit faire respecter et appliquer le droit afin d'assurer aux particuliers la protection de leurs biens. Ces trois règles apparaissent comme fondamentales aujourd'hui encore. Rousseau, par opposition à Grotius, montre que ces principes « dérivent de la nature des choses, et sont fondés sur la raison. », faisant fi, ainsi de toute autorité onirique.

Le paragraphe suivant revient sur ce « droit de conquête qui n'a d'autre fondement que la loi du plus fort ». De plus, la guerre ne donne pas le droit à l'Etat vainqueur «de massacrer les peuples vaincus » (ce serait enfreindre la première règle énoncée précédemment), ni le droit « de les asservir » sous son joug. Rousseau repose ici l'inaliénabilité de la liberté. Oser instaurer cet « échange inique », c'est comme tuer cet homme puisqu'il se retrouve priver de sa liberté, c'est-à-dire de son être même. L'avant-dernier paragraphe montre qu'une victoire à la guerre ne suffit pas pour mettre fin à l'état de guerre. Au contraire, il semble même que « l'état de guerre subsiste entre eux comme auparavant » c'est-à-dire que cet état se perpétue, parce qu'un ordre civil privé de liberté lutte avec lui-même afin de retrouver cette liberté. Quant au dernier paragraphe, il met en évidence l'absurdité d'un droit d'esclavage. En effet, droit et esclavage sont contradictoires et donc s'excluent mutuellement. Rousseau prouve ainsi que la société ne peut se fonder que par une convention entre les volontés libres.

Chapitre V – Qu'il faut toujours remonter à une première convention

Les trois derniers chapitres ont mis en évidence la nécessité d'établir l'ordre civil sur une convention ; ce chapitre va proposer un moyen plus direct pour asseoir la convention. Le premier paragraphe pose une donnée essentielle puisque, quelques soient les principes avancés, « il y aura toujours une grande différence entre soumettre une multitude et régir une société ». Rousseau opère une distinction entre la multitude et la société. La multitude n'est pas une société car elle est composée d'hommes épars qui n'ont aucune attache commune. S'ils sont asservis à un maître, ils forment un agrégat et non pas une association. Cette nouvelle distinction permet de mieux cerner la précédente. En effet, la multitude forme un agrégat, puisqu'il n'y a en elle que des individus grégaires qui vivent sous l'emprise d'un maître qui les force à obéir. La société est une association entre les individus qui repose sur la convention. La société passe donc par un libre accord entre les volontés individuelles, ce qui constitue un gain pour chacune ; il y a donc création d'un « corps politique », ce qui n'existe pas au sein de la multitude et de l'agrégat. Les membres de ce corps ne sont plus de simples individus mais ils deviennent des citoyens. Et parce qu'ils participent à la vie de ce corps politique, ils auront donc des intérêts communs qui leur permettront de former un « bien public », par opposition à l'intérêt privé qui est toujours celui du chef pour la multitude.

Le second paragraphe reprend et retourne un argument de Grotius. En effet, si « le peuple peut se donner un roi », alors cela signifie, pour Rousseau, qu'il est déjà un peuple avant d'avoir un roi. En effet, chercher à se donner quelque chose cela pose d'emblée l'existence d'un sujet. Pour Rousseau, c'est « un acte civil » qui suppose déjà « une délibération publique ». Il est donc primordial d'examiner « l'acte par lequel un peuple est un peuple ». Cet acte, c'est celui qui donne au peuple sa cohésion, puisqu'il est l'œuvre d'une volonté commune. A travers la convention qui est « le vrai fondement de la société », le peuple affirme sa liberté, c'est-à-dire manifeste son existence en tant que peuple. Le peuple par sa volonté affirme sa liberté. Le dernier paragraphe de ce chapitre montre toute l'importance de cette première convention qui permet de comprendre comment une obligation légitime est possible. En effet, lors d'élection, pour que la loi sur la pluralité des suffrages permette à l'unanimité, d'obliger et de soumettre la minorité, il faut, qu'antérieurement, elle ait été votée à l'unanimité. Nul doute ici, que la convention est la condition sine qua non qui fonde l'existence de la société, puisqu'elle permet l'expression de la volonté commune lors de délibérations publiques. Ce chapitre a permis à Rousseau de montrer ce par quoi « un peuple est un peuple ». Le chapitre qui suit va poursuivre l'analyse détaillée de cette convention, qui n'est rien d'autre que le contrat social.

Chapitre VI – Du pacte social

Le premier paragraphe débute par une supposition qui a pour objectif d'expliquer le passage de l'état de nature à celui de société. Des obstacles surgissent et viennent nuire à la conservation des hommes dans l'état de nature. Par conséquent, puisque leur conservation n'est plus possible dans cet état, ils auraient le devoir de le quitter pour pouvoir survivre. Il faut remarquer que le passage d'un état à l'autre repose sur une lutte entre les hommes et les obstacles qu'ils rencontrent. C'est parce qu'il y a une opposition qui se dresse contre leur conservation, qu'ils doivent nécessairement quitter l'état de nature car « le genre humain périrait s'il ne changeait de manière d'être. » Pour faire face à ces obstacles, les hommes n'ont pas d'autre choix que de s'unir. Un homme seul ne peut pas produire de « nouvelles forces », il est limité à celles qui lui sont propres. En revanche, en s'unissant avec d'autres, ils constituent « une somme de forces ». Cette somme de forces peut l'emporter contre les obstacles rencontrés. A ce stade, il n'y a pas encore d'association proprement dite car il n'y a pas encore eu de convention entre eux.

Au paragraphe suivant (§ 3), Rousseau questionne cette union des nouvelles forces. Comment peuvent-elles être utilisées « sans se nuire et sans négliger les soins » qu'ils se doivent ? En introduisant les devoirs que les hommes se doivent à eux-mêmes, Rousseau montre que nos actions sont bornées par ces derniers. De ce fait, les devoirs introduisent ce que les hommes peuvent faire ou non, c'est-à-dire la notion de droit.

Le problème de tout le livre est reformulé au quatrième paragraphe. Il s'agit de savoir comment un ordre civil légitime est possible ? Pour cela, il faut trouver « une forme d'association » qui va permettre à chacun de conserver sa liberté. Autrement dit, elle ne doit pas être une contrainte pour l'homme, puisqu'il est libre par nature. Pour Rousseau, le contrat social est « la solution » à ce problème. Les trois premières lignes du paragraphe 5 montrent que le problème posé contient déjà en lui-même sa solution. Même si « les clauses de ce contrat » n'ont jamais été formulées clairement, « elles sont partout les mêmes ». Puisqu'elles sont à l'œuvre dans toute société, une fois que l'agrégation est quittée au profit de l'association. Remarquons que la fin de ce paragraphe montre que l'association des hommes s'inscrit dans une temporalité. Elle ne dure que « jusqu'à ce que, le pacte social » soit violé. Dès lors, l'association est rompue et rend aux hommes leur liberté initiale.

Rousseau indique ensuite (§ 6) que les clauses du contrat social « se réduisent toutes à une seule » qui est l'aliénation. Il semble ici qu'apparaît un paradoxe par rapport à ce qui a été affirmé au chapitre IV. En effet, l'aliénation et la liberté sont antinomiques. Ici, Rousseau va devoir expliquer pourquoi l'aliénation totale de chaque individu est nécessaire à la communauté ? Par l'association, l'homme aliène l'ensemble de « ses droits à toute la communauté ». Dès lors, comme tous les hommes font de même, il se crée une égalité, puisque « la condition est égale pour tous ». Un homme ne donne pas plus qu'un autre. Il n'y a pas d'inégalité ici. Cette aliénation se fait « sans réserve » (§ 7), c'est-à-dire que tout homme se donne totalement. De ce fait, une perfection apparaît ici. Puisque chacun est égal à son voisin, aucun d'entre eux ne peut mettre en avant « quelques droits particuliers » qui lui permettrait de se considérer comme supérieur aux autres. Si cette aliénation se fait sans réserve, c'est parce « chacun se donnant à tous ne se donne à personne » (§ 8). Cette phrase semble révéler le caractère apparent de cette aliénation. Chaque homme se donne à tous, c'est-à-dire à cette entité qui, au final, n'est personne, donc l'aliénation n'en est pas vraiment une. L'avantage de cette aliénation apparente est qu'elle garantit aux hommes le gain équivalant à ce qu'ils perdent par cette association.

Cette idée est renforcée au paragraphe suivant lorsque Rousseau écrit : « Chacun de nous met en commun sa personne et toute sa puissance sous la suprême direction de la volonté générale ; et nous recevons encore chaque membre comme partie indivisible du tout. » L'aliénation n'apparaît pas ici (Rousseau parle de mise en commun, ce qui n'est pas la même chose). Lorsque les hommes s'associent en vue de former une société, ils s'engagent par le contrat social, ce qui va leur permettre d'exprimer leur volonté sous « la suprême direction de la volonté générale ». Le passage du particulier au général se fait à l'instant même où l'association est réalisée. En contractant le pacte social, chaque homme produit cette société, c'est-à-dire ce « corps moral et collectif, composé d'autant de membres que l'assemblée a de voix, lequel reçoit de ce même acte son unité, son moi commun, sa vie et sa volonté ». La suite de ce paragraphe expose des concepts essentiels du droit politique ; ils découlent de la formation de l'ordre civil. L'ordre civil, la société, c'est « cette personne publique » qui résulte d'une union de toutes les autres. La définition de cette entité lui donne une existence effective et immanente. Cette personnification de la volonté générale prend le nom de « république ou de corps politique ». Il est « Etat » ou « souverain » en fonction de son activité. C'est par la délibération publique qu'est formée la volonté générale qui fait du peuple un souverain. Ainsi chaque membre est doté d'une double étiquette : passif, il est membre du peuple et sujet, tandis qu'actif, il est citoyen et membre du souverain puisqu'il participe aux délibérations publiques.

Chapitre VII – Du souverain

Il s'agira dans ce chapitre de voir quelles sont les obligations du souverain mais également en quoi elles obligent. Pour cela, Rousseau va analyser le contrat social comme un lieu où se tisse un ensemble d'obligations réciproques.

Le début du premier paragraphe montre que l'association est un acte qui n'est pas anodin ; en effet, c'est une obligation qui implique « un engagement réciproque du public avec les particuliers ». S'il y a engagement, c'est parce que le public et les particuliers constituent deux volontés qui s'obligent mutuellement, à travers des devoirs respectifs qu'ils s'imposent. Cette première obligation apparaît comme la parole donnée, elle invite à respecter cet engagement et les devoirs qui lui sont liés. La suite du paragraphe touche plus directement les particuliers qui sont engagés « sous un double rapport » car ils sont à la fois membres du souverain et membres de l'Etat. Ce double rapport fait de chaque particulier à la fois un sujet et un citoyen. En tant que citoyens, les particuliers sont obligés à certains devoirs envers la société. Par exemple, défendre la patrie en temps de guerre, ou payer ses impôts, sont des devoirs qui incombent aux citoyens. En tant que sujets, les particuliers doivent respecter les lois et se soumettre aux institutions qui les appliquent. Lorsqu'à la fin de ce paragraphe, Rousseau se réfère à « la maxime du droit civil », c'est pour montrer la différence entre une obligation prise envers soi-même et les obligations envers le souverain. En effet, si « nul n'est tenu aux engagements pris avec lui-même », c'est parce qu'il est libre d'en changer ou non. En revanche, il n'en va pas de même lorsqu'il s'agit des obligations envers le souverain. Là, le particulier est tenu de les respecter. Ainsi une « délibération publique » oblige tous les particuliers envers le souverain, c'est-à-dire qu'ils ont le devoir de la respecter. Cependant, que le souverain, c'est-à-dire l'ensemble des citoyens, n'est tenu à aucune loi « qu'il ne puisse enfreindre ». En effet, si tel était le cas, le souverain serait soumis à une loi supérieure à lui. Il se retrouverait comme un simple « particulier contractant avec soi-même ». Or, pour Rousseau, le souverain doit rester le maître. Il est de son devoir de ne pas s'aliéner à autre chose que sa propre volonté. C'est pour cela qu'il ne « peut y avoir nulle espèce de loi fondamentale obligatoire pour le corps du peuple, pas même le contrat social ». Néanmoins, le contrat social, puisqu'il donne au corps politique ou au souverain son être, revêt une « sainteté », c'est-à-dire qu'il a un caractère sacré qui institue que toute action du souverain doit viser le bien de la société.

Pour renforcer l'importance de cette thèse, Rousseau prend trois exemples qui montrent que le contrat social oblige le souverain. Le premier est l'aliénation d'une « portion de lui-même ». Autrement dit, le cas où le souverain se séparerait d'une partie qui le constitue. Le second cas envisagé est de « se soumettre à un autre souverain ». C'est-à-dire le fait de renoncer à son autonomie. Le troisième cas (§ 4) est l'impossibilité d' « offenser un des membres sans attaquer le corps ». Dans les trois cas de figure, le souverain, par ses actions violerait « l'acte par lequel il existe », c'est-à-dire qu'il anéantirait le contrat social qui le fait être. Nous comprenons alors pourquoi « le devoir et l'intérêt obligent également les deux parties contractantes à s'entraider mutuellement ». Le souverain, comme les particuliers qui le constitue, « ne peut avoir d'intérêt contraire au leur ». Voilà pourquoi « le souverain, par cela seul qu'il est, est toujours ce qu'il doit être ».

Rousseau envisage maintenant les obligations des sujets envers le souverain. Le problème étant d'arriver à concilier la volonté particulière à la volonté générale. En effet, un particulier est à la fois sujet et citoyen. Or, le sujet perçoit souvent le contrat social comme une aliénation de sa liberté, tandis que le citoyen le voit comme un moyen permettant l'expression de la volonté générale. Si l'intérêt particulier l'emporte sur l'intérêt commun ou général, il en résulte un non respect des lois. Comprendre que l'intérêt particulier est impliqué dans l'intérêt de l'ensemble ne va pas de soi. Ainsi les différentes fraudes qui sont commises – par exemple, le fait de refuser de payer ses impôts – prouvent que l'intérêt de l'ensemble est perçu comme une privation qui porte atteinte à l'intérêt particulier. Or, ce cas illustre la vision réductrice, voire abstraite, que le particulier peut avoir de l'ensemble. C'est comme si, il voulait jouir « des droits du citoyen sans vouloir remplir les devoirs du sujet ». Laisser ces actions injustes impunies, constituerait donc « la ruine du corps politique. » Voilà pourquoi, le contrat social « renferme tacitement cet engagement » qui implique des obligations et des devoirs pour l'ensemble des contractants. Ainsi Rousseau peut affirmer que « quiconque refusera d'obéir à la volonté générale, y sera contraint par tout le corps ; ce qui signifie autre chose sinon qu'on le forcera à être libre ». Il apparaît clairement ici que le corps politique nécessite des forces de l'ordre (police, justice) pour contraindre les sujets refusant de se soumettre à la volonté générale. S'il faut forcer le sujet à être libre, c'est pour lui rappeler son devoir de respecter son engagement, c'est-à-dire sa volonté d'être citoyen. C'est à cette condition qu'une égalité de tous les membres est rendue possible.

Chapitre VIII – De l'état civil

Dans ce chapitre, Rousseau revient, à travers un ensemble et un jeu d'oppositions, sur la distinction entre état de nature et état civil. Nous avons vu que le pacte social est la condition qui permet « le passage de l'état de nature à l'état civil ». Ce passage va opérer en l'homme « un changement très remarquable ». En effet, si nous poursuivons la lecture de ce premier paragraphe, il semble qu'un progrès de l'homme soit envisagé. De nombreux avantages découlent directement du passage d'un état à l'autre. Par exemple, les actions humaines, en passant de l'instinct à la justice, gagnent en moralité ; puisque le devoir succède à l'impulsion comme le droit succède à l'appétit. A travers ce jeu d'oppositions, Rousseau distingue directement les oppositions qui existent entre la nature et la culture, l'inné et l'acquis. Le passage d'un état à l'autre permet aussi à l'homme de « consulter sa raison avant d'écouter ses penchants ». L'éveil de la raison lors du passage de la nature à la culture permet à l'homme de progresser. Chez Rousseau, il faut se rappeler que l'homme est perfectible, il peut toujours s'améliorer.

Cependant si l'état civil, dans son fondement effectif, c'est-à-dire tel que le conçoit Rousseau, doit amener l'homme à s'accomplir et à développer pleinement l'ensemble de ses facultés, force est de constater que, dans les faits, « cette nouvelle condition » le dégrade souvent « au-dessous de celle dont il est sorti ». Rousseau montre ici que le passage de l'homme à l'état civil a pour fin un progrès, une perfectibilité. Cependant, dans les faits, l'homme dénaturé se retrouve dans une condition plus dégradante que celle qu'il a quittée. Il faut se rendre compte que Rousseau ne condamne pas l'état civil en soi. S'il le condamnait, ce serait absurde de sa part d'écrire un contrat social. Non, ce qu'il condamne c'est l'état civil dans lequel l'homme vit. Cet état civil dégradant et dégradé qui, dans l'absolu, anéantit le pacte social. Par conséquent, l'homme, au lieu de bénir « l'instant heureux » où il quitta l'état de nature, reste « un animal stupide et borné ». Pour

Rousseau, au lieu d'élever l'homme au-dessus de sa condition, l'état civil (tel qu'il est perçu par Rousseau dans la société réelle) a dégradé l'homme en-dessous de sa condition initiale.

Il y a donc un ensemble d'oppositions entre trois états distincts : l'état de nature, l'état civil (tel qu'il est envisagé par le contrat social), et l'état civil dégradant et dégradé (qui correspond à celui de la société réelle). Rousseau propose alors de réduire « toute cette balance à des termes faciles à comparer » (§ 2) qui sont la liberté naturelle et la liberté civile. Ces deux termes permettent de reposer la classique opposition état de nature / état civil. En effet, l'état civil, dont il est question, c'est celui qui résulte du contrat social de Rousseau. La force de cet état vient de sa légitimité qui n'est autre que « la volonté générale ». Ainsi si d'un coté (état de nature), nous trouvons la satisfaction immédiate de toutes les tentations, et la possession, de l'autre côté (état civil résultant du contrat social), nous trouvons, une responsabilité, et des droits qui garantissent les propriétés. De fait, Rousseau peut ajouter à cet état civil parfait « la liberté morale, qui seule rend l'homme vraiment maître de lui ». Cette liberté apparaît alors comme la perfection même de l'homme qui a ainsi réalisé sa pleine autonomie, c'est-à-dire toute sa liberté. C'est en ce sens que Rousseau peut écrire que « l'impulsion du seul appétit est esclavage, et l'obéissance à la loi qu'on s'est prescrite est liberté ».

Chapitre IX – Du domaine réel

Ce chapitre va s'intéresser à la terre, en opérant une distinction entre possession et propriété, mais également entre domaine privé et domaine public. Rousseau analysera également, dans le cadre de ce chapitre, le droit du premier occupant.

Dans le premier paragraphe, Rousseau montre que le statut de la possession est muable. En effet, il « change de nature en changeant de mains ». Cet aspect changeant et muable révèle le caractère limité de la possession. Elle ne s'inscrit pas dans la durée et paraît contingente puisqu'elle est limitée à la force que nous déployons pour la conserver. Dès lors, il n'y a de possession que dans l'état de nature, puisqu'il est le lieu où les forces s'expriment. Rousseau a montré précédemment que ce combat, entre forces antagonistes, est une des premières causes du passage à l'état civil. En effet, ce dernier vise à unir les forces des particuliers en vue de protéger les possessions de l'ensemble. Pour cela, nous avons vu qu'il est nécessaire de s'associer pour former le pacte social qui, en affirmant le droit, va pouvoir garantir nos différents biens. Le statut des possessions changera, elles deviendront des propriétés. Ainsi, par le contrat social, chaque homme abandonne ses possessions pour gagner, en échange et grâce au droit, ses propriétés.

Au paragraphe suivant, Rousseau entreprend l'analyse du droit du premier occupant. Ce droit repose sur trois conditions préalables : la première étant que le terrain soit inoccupé, la seconde que l'espace corresponde à nos besoins réels, enfin, la dernière condition étant que notre prise de position sur ce terrain se fasse uniquement par le travail et la culture. Ces trois conditions étant établies, les limites de ce prétendu droit apparaissent. En effet, ce droit qui a servi à légitimer toutes les occupations et les colonisations du nouveau monde, n'est pas un droit naturel. A l'état de nature, seule règne la force. Pour constituer un droit, le passage à l'état civil est obligatoire car le contrat social entre les contractants fonde le droit. Le droit du premier occupant n'est pas légitime en soi. Sous son couvert, comme le montre Rousseau, ce n'est ni plus ni moins que l'exercice de la force qui a pour but d'étendre les possessions territoriales d'un Etat.

Le paragraphe suivant montre que les rois ont souvent confondu (c'est-à-dire qu'ils confondent encore) ce qui est réel et ce qui est personnel. Pour Rousseau, cette confusion, en s'appliquant à leurs sujets, revient à prendre ces derniers pour un simple troupeau de bétail. Rois des Perses dans le passé, ils deviennent aujourd'hui roi de France, d'Angleterre, d'Espagne. Ce changement d'appellation montre que dans les deux cas, les sujets sont considérés comme un simple troupeau, et les pays, comme un simple terrain immobilier. Dès lors, il devient possible de voir la spécificité de la propriété. Elle constitue un bien légitime puisqu'il est garanti par le souverain à chacun de ses sujets. En ce sens, les sujets sont « comme dépositaires du bien public ». En effet, les possessions, en devenant des propriétés dans l'état civil, relèvent du droit commun. Ce droit garantit la propriété à tous les sujets. Il permet d'affirmer l'égalité de tous les hommes, puisque les lois sont les mêmes pour tous.

A travers la lecture de ce premier livre du *Contrat social*, nous avons pu voir que la théorie rousseauiste, bien qu'influencée par d'illustres prédécesseurs (Machiavel, La Boétie, Spinoza et Locke) affirme une philosophie politique libératrice ; dotée d'une grande lucidité à l'égard de toutes les formes d'oppressions, elle pose la liberté comme le plus grand bien de l'homme, puisqu'elle constitue le fondement même de son être. En ce sens, *Le* Contrat social apparaît comme un livre valable de tous temps.

9 782367 889320